YN FY LLE

Cerddi

Karen Owen

Pob dymuniad da
o Eisteddfod
Abertawe,

K

7.8.06

Cyhoeddiadau Barddas
2006

Argraffiad cyntaf: 2006

ISBN 1 900437 84 8

Cyhoeddwyd gyda chymorth ariannol
Cyngor Llyfrau Cymru.

Cyhoeddwyd gan Gyhoeddiadau Barddas

Argraffwyd gan Wasg Dinefwr, Llandybïe

Cynnwys

Dymuna'r awdur ddiolch i'r Academi am ddyfarnu
Ysgoloriaeth i Awduron er mwyn cwblhau'r gyfrol hon.
Diolch hefyd i gwmni *Golwg Cyf.* am yr amser
i wneud y gwaith.

Etifedd

Ni chefais gennyt ti erioed
yr hawl i ddyrnaid arian,
na darn o dir, na llinach hir,
na theitl gwerth ei yngan.

Ni chefais gennyt ti erioed
y grym i brynu ffrindiau,
na gorchest iaith, na balchder chwaith,
na masg a'i lu wynebau.

Ni chefais gennyt ti erioed
ond brwydr oes, a gweddi;
ce's gerdd mewn byd sy'n sŵn o hyd,
a chân sydd yn distewi.

Ai dyna'r cyfan, pan ddaw'r dydd,
f'ewyllys innau, Gymru rydd?

O Gadair y Frenhines

craig ar ffurf gorsedd ar Glogwyn Melyn, Pen-y-groes

O ben y bryn a oedd, ers talwm, inni'n fynydd o freuddwydion,
ymroliai'r byd yn araf rhwng yr Wyddfa a môr Iwerddon,

rhwng cân dau geiliog yng Nghaer Engan ac allt Carmel,
lle na chlywai'r clustiau diarth wywo'r awel

na rhwygo'r gwlân o gyrff yr ŵyn cynefin
wrth i'r creaduriaid fynnu llusgo'n igam-ogam drwy y drain a'r eithin

i fyny, fyny, at orsedd oes a fu
a fyn anadlu'i chysgod hithau oddi fry:

y garreg oer dan garthen ei chen a'i chwyn,
y garreg sydd mor hen â'r haul fan hyn.

Heddiw, a minnau'n dal i ddod o hyd,
trwy'r eithin, i'w llonyddwch stond a mud,

mae mwy na sgrech dau dderyn ar y gwynt
a theimlaf, teimlaf, y drain duon a fu gynt

yn rhwygo'r gormodedd gwlân o gyrff yr ŵyn,
yn gwneud 'run peth i minnau; nid er mwyn

ei wau a'i lifo eto'n wisg o frethyn main,
ond er mwyn dangos mai rhyw greadur gwrych a llain

sy'n stryffaglio'n igam-ogam tua'r sedd,
sy'n pydru mynd trwy'r eithin tua'i hedd

er mwyn cael gwylio'r byd yn gyfan rhwng yr Wyddfa a môr Iwerddon
o ben y bryncyn sydd, ers tragwyddoldeb, yn drech na thwr
breuddwydion.

Winni Ffinni Hadog

Mae enaid ar y mynydd,
un o'r rhain sy'n byw yn rhydd
fel awel – un na weli
ar Lôn Wen ein heulwen ni.
Yn y grug mae geiriau hon
nawr i aros,
paid â gadael Winni a'i rhegi'n rhy agos.

Yn eithin gwyllt ei Phethe,
ar hen allt y tywallt te
ac ym marclod ei thlodi,
fe wna hon ei llwyfan hi;
a neb ond Winni ei hun –
neb yn gwybod –
am ddagrau, am dadau; ond hi a'i duwdod.

A anwyd hi'n frenhines?
Ni wêl hon 'run rhuban lês,
er breuddwydio dawnsio'r daith
i weini i Lundain ganwaith;
diwylliant hosan dyllog,
di-ffril fel gwaelod ei ffrog,
yw'r un sy'n ei gyrru hi
yn hegar iawn i regi;
yn ein ffordd, mae'n clocsio'i ffydd
hen-ifanc o anufudd,
a'n chwipio, diawlio, nes dod
heibio i ni'n gydwybod.

Ond tra llwyfan, tra canu,
tra bo'i sanau'n dyllau du,
emosiwn heb ddim moesau,
a'r ddawn i anghofio'r ddau;
mae hwyl ar yr ymylon

â direidi'r Winni hon.
Er hyn, a fu yna wrach
â'i hacen yn Gymreiciach?

Y mae enaid y mynydd – ynddi hi,
a phan ddaw y stormydd
o gopa'r bryn derfyn dydd,
ni weli ei chywilydd;

a thra bydd ar ei gruddiau – y bawiach
gwyd o'i bywyd hithau,
y mae wylo'r cymylau
yno o hyd i'w glanhau.

Mae enaid ar y mynydd
erioed, fel yr awel rydd,
a'i alawon ni chlywi'n
ffurfafen ein Lôn Wen ni,
yno i'r grug a'r rhai ar ôl
mae hi'r Winni wahanol.

Pyped

Prif Weinidog Prydain, Tony Blair

Wrth neidio i dôn ei feistr
ar lwyfan y gwledydd gwyn,
mae'r pyped bach yn ddiogel
tra bo'r llinynnau'n dynn.

Ond pan fydd tensiwn wedyn
yn torri'r tannau i gyd,
mae'r pyped yn un bwndel
ar lwyfan trais o fyd.

Troeon

er cof am Andrew Jones, dylunydd Golwg, *a fu farw mewn damwain ffordd ger Llandeilo, Hydref 12, 2005, yn 20 oed*

Bu'r lôn rhwng ddoe a heddiw
yn ddiddiwedd ac yn syth,
y lôn na chawn ni eilwaith
drafaelio hyd-ddi byth;
dim ond pan oedwn ni'n fan hyn
i osod blodau yn New Inn.

Mae'r cornel sydd o'n blaenau,
galeted ydyw o,
yn ein twyllo fod milltiroedd
yfory rownd y tro;
nes down â'n blodau i fan hyn
at lôn sy'n darfod yn New Inn.

Dawn

Roedd gen i dalent unwaith –
mi ganwn bennill glân
mewn iaith Gymraeg, hen ffasiwn,
a Chymru oedd fy nghân;
a'r delyn fach, â graen i'w phren,
gyfeiliai nes dôi'r byd i ben.

Heddiw, croesacen ddiarth
sydd yn fy nrysu'n llwyr,
y hi sy'n galw'r alaw,
dof innau i fewn yn hwyr;
a'r delyn fach, â phry'n ei phren,
sy'n datgan bod fy nghân ar ben.

Garddwyr oll

Er bod mis Tachwedd arall
yn cloi'i gymalau'n dynn,
fe ddaw y garddwr hirben
i balu tir y chwyn;
a phlannu yno ei obaith mud
y gwêl fis Mai yn flodau i gyd.

Oherwydd gŵyr y garddwr
nad oes gorffwyso i fod
am mai ymaflyd cyson
â'r pridd sy'n troi y rhod;
a gŵyr, 'r ôl dadmer daear wleb,
gohirio'r gwanwyn ni all neb.

GWREIDDIAU

– wrth hel achau

Gwynt

Mynwent Llanfair-is-gaer

Mae 'na wynt mewn mynwentydd
ond dydi'r camera ddim yn dallt
ei fynd a dod, na'i chwarae mud
rhwng corun pob carreg
a throed pob bedd.

Dw i'n fframio fy nain
trwy'r lens ofalus
ac mae'i henw hi'n sgleinio
yn aur paentiedig
ar y llechfaen llwyd,
wrth iddi swatio dan galigraffi o ŵr
a'u dyddiadau nhw'u dau
yn cadw oed
fel 'taen nhw'n trio byw o hyd.

A dw i'n tynnu'r llun.
Ond dydi'r camera ddim yn clicio . . .

oherwydd
mae 'na wynt mewn mynwentydd,
ac ni wêl y lens
heibio i chwe throedfedd o ffin
a ffeithiau pob ffoto,
ac ni ddealla hi, byth bythoedd,
mai wrth deimlo bysedd y gwynt trwy fy ngwallt
y bydda' i'n cofio . . .

Trwy'r wal

Y Wern, Y Felinheli, 1966

Roedd Elvis ar y radio
y noson honno,
ac yn y llofft drws nesa'
yr oedd ei thad hi'n marw.

Dydi pethau byth yn dilyn Y Drefn:
y Brenin yn canu am 'Wooden Heart',
a chalon feddal o gig a gwaed
yn rhoi'r gorau i guro;

ac yna
rhwng Radio Luxembourg a sbyty'r C&A,
doedd dim curo,
dim ond crio,
dim ond marw.

A dyna pam
mai fel llun mewn ffrâm
y bu Taid Felin byw
yn ein tŷ ni;
ac mai dim ond colled Mam
a'i dagrau hi
sy'n pontio rhyngof fi
a fo.

Sbeis

codwyd clwb cymdeithasol ar safle Siop Bren,
siop-bob-peth fy hen-nain, yn ardal Gatiau, Pen-y-groes

Maen nhw'n canu gwlad yn Giatia' heno,
yn twangio hiraeth
i mewn i'r meic
sydd wedi'i osod
rhyw shedan i'r chwith
i'r fan lle safai cownter Siop Bren.

Yno gynt, ar groesfan y trenau
a chanolbwynt y byd yn yr hen ddyddiau,
roedd y weddw wydn
o'i neuadd o nwyddau
yn camu i'w meic a'i llwyfan hithau.

Ac fe ganai:
"*I'll tell you what I want, what I really really want . . .*
jyst digon o bres i fyw,
thenciw."

A heno,
yn stafell fawr y *Social*,
mi daera' i fod Giatia'n cofio Enid Siop Bren,
ac mai ei dagrau hi ydi'r angar ar y ffenestri.

Symbalau

sef hen offerynnau Henry Pritchard
(Harro Bach), drymiwr a llyfrgellydd
y Nantlle Vale Royal Silver Band
am ddeugain mlynedd

"Dydi symbals ddim yn seinio
wedi cael un gôt o *Brasso.*"

Fe ddaeth y cyngor yn rhy hwyr,
a nhwthau'r offerynnau sgleiniog
yn hongian
gerfydd eu llinynnau lledr
uwchben y silff ben tân.

Mae tawelwch y taro yn eich dallu,
ond pan ddaw llaw yr haul
i'w twtjiad yn dyner,
y mae 'na sŵn i'w serennu,
ac mi glywa' i o –
Harro Bach ar y bas –
yn drymio'i daith, yn dilyn y band
a'r rhain am ei ben'gliniau.

A does dim ots be' ddeudwch chi –
mae'r symbals yma'n canu i mi.

Achau

wrth fedd William Griffith Jones,
brawd fy hen-nain, ym mynwent
Canada Farm ger Ieper, Ebrill 6, 2004.
Fe gafodd ei ladd yn y Rhyfel Mawr
yn 30 oed. Roeddwn i ar fin dathlu
fy mhen-blwydd innau yn 30.

Os ydan ni'n dau'n perthyn,
ni fu perthynas chwaith;
dilewyd honno'n waedlyd
ers rhai rhyfeloedd maith.

Ond rydan ni'n dau'n debyg,
a bydd tebygrwydd mwy
rhwng Corporal y bidog
a nith y bomiau nwy.

Mi fuon ni'n dau'n Gymry
â Phrydain lond ein pen;
y ni oedd arfau'r deyrnas
o ladd ddaw byth i ben.

Ond nawr, a ni'n gyfoedion,
gwn oed dy aberth di
a gwn, am hynny, 'r gwaedu
a wneir yn f'enw i.

Lle bynnag y bo dau neu dri . . .

yn ffermdy Bryn Gadfan Bach, Llanaelhaearn, cartref fy hen-hen-daid a nain, y cynhaliwyd un o'r seiadau cyntaf yn Llŷn ac Eifionydd, yn ôl y sôn

"Ydach chi'n gwybod y ffordd i dŷ cwrdd fy nghyndeidiau?"

Un wal sy'n sefyll ym Mryn Gadfan Bach,
ar ymyl rhyw lwybr o lôn
i fyd gwell
ymhell o'r ffordd fawr.

Mae dreifio yno'n siŵr o'ch drysu,
eich gyrru rownd y bend,
ac wedi pob cyrraedd
trwy'r dŵr a'r 'nialwch
mi fetia' i fy mhedwar teiar
y bydd Canaan un can milltir
arall
lawr y lôn . . .

ac wedi'r holl dreialon,
dim ond wal a welir
ym Mryn Gadfan Bach!

Ond i ateb eich cwestiwn,
oni bai ei fod o i'r cyfeiriad acw,
a bod y coed pîn 'ma wedi'i f'yta fo'n fyw,
Duw a ŵyr lle'n *union* mae'r lle . . .

Ond gwir oedd y geiriau
canys Duw a ŵyr,
gobeithio.

Profa fo, chdi a'r CSA*

Llwyn Onn, Efailnewydd

Y fi yn nabod dy hen-hen-nain?

Falla' mod i . . .
Falla' ddim . . .
ond lle bynnag o'n i
lle bynnag oedd hi
fuon ni 'rioed yno efo'n gilydd, wsti.

Ydw i'n ei chofio hi'n gadael y plwy'?

Brith, brith gof . . .
dim mwy nag atgof . . .
a rhyw gerpyn o lythyr
yn dod dros y mynydd
i ddeud mai llygaid ei thad
oedd gan y fechan.

* *CSA – talfyriad o'r enw Saesneg ar yr Asiantaeth Cefnogi Plant, y* Child Support Agency.

Cân y forwyn

Mary Jones, Bodathen, Trefor

Weithiau
pan fydd unigedd lond eich llygaid,
mi hoffwn gydio yn eich llaw
fonheddig o fodrwyog
a dweud "bydd popeth yn iawn",
a'i ddweud a'i ddweud
nes y gwawria'r gwir;

ond mae rhywbeth yn fy rhwystro
a rhywbeth yn eich rhwymo –
fel cylchoedd o'n cwmpas.

Nes un dydd
a minnau ar fy ngliniau
yn sgwrio'r lloriau
fe ddowch yn wên hyd y llawr llithrig
i ganmol y gwaith;

a bryd hynny
yn fy marclod rhacs a'm fflachod
dw i'n teimlo fy hun yn uffar o ledi,
Mistar.

Ail-enwi

bu farw mab cyntafanedig Liverpool Arms,
Porthaethwy, ac enwyd eu mab ieuenga' ar ei ôl

Yng ngosteg garegog yr eglwys
heddiw
gollynga Ruth ei bwndel bach
a'i gyflwyno i'w fedyddio;

yn rhynwynt ei helynt yn y llan
ddeng mlynedd, tri mis a deuddeng niwrnod yn ôl
gollyngodd Ruth ei bwndel bach
a'i gyflwyno i'w Greawdwr;

a heddiw, gyda phob diferyn,
mae hi'n boddi mewn absenoldeb.

Dim ond enw?

Ciltwllan, Llanllechid, cartref fy
hen-hen-hen-hen-daid a nain

Ar y map, nid yw Ciltwllan
ond clwmp o gaeau ger Foel Faban;

un ddôl las yn Nyffryn Ogwan
a llwybr yn dirwyn uwchlaw'r Gerlan;

un hen enw'n treiglo'n ara'n
hanes sy'n hŷn nag ef ei hunan . . .

Ond mae cysgod llwyd Gyrn Wiga'n
gwarchod y tŷ, a 'ngwreiddiau inna'n

dal y tir gerllaw Foel Faban.
Tra cofia' i hyn, fe fydd Ciltwllan.

Tresbasu

Merbwll, Llanaelhaearn – cartref
William ac Ann Owen,
fy hen-hen-daid a nain

Ar lethrau Mynydd Ceiri
ar ddiwrnod-be'-wna'i o hydref,
dw i'n mynnu mynd i hela tai
a thrampio i hen dyddyn
fy hen-hen-daid.

Ac ar lethrau'r Ceiri
yn y smwclaw
lle mae'r ddraenen wen yn boen,
y glaswellt yn mynnu glynu'n damp wrth ein dillad
a'r rhedyn yn teyrnasu'n Rhufeinig o goch,
yno y mae Merbwll . . .

. . . yn doeau sinc,
yn botiau paent,
yn gragen o gwt gwair
ac yn ddieithr o ddi-raen.

A finnau fan hyn,
yn dramp o dresbaswr
ar dir fy hen-hen-daid.

Methu dallt chwarelwrs

Hugh Pritchard, fy hen-daid

O'r caniad, bu'n lybeindio drwy ei oes,
ac nid oedd piltro tan y banad naw,
bu'n cowjio wrth gnoi cil ar jacan joes
a'r wif a'r ebill garw'n cledu'i law;

roedd jini'n wag, yn aros gŵr y rhys,
a'r drawsan styfnig 'run mor oer ei gwedd,
y gafael uwch ei ben yn edliw'r brys
a'r ffiar yn ei glustiau hyd y bedd.

Ddydd papur setlo, doedd ei gelc yn ddim,
ond rhannodd o'i ddiwylliant ar y bonc,
ac er ei fargen sâl, mae'n g'wilydd im
fod allt ei drafal yn Seisnigo'n rhonc.

Am fethu â deall heddiw, maddau i mi,
dw i'n araf hollti llech dy eiriau di.

caniad – corn y chwarel
lybeindio – gweithio'n egnïol
piltro – gwastraffu amser
panad naw – egwyl
cowjio – cŷn main
jacan joes – math o faco cnoi
gwif – trosol
jini – wagen
rhys – gordd o bren derw Affrica
trawsan – carreg groes ei graen
gafael – ffrwydrad nerthol
ffiar – sŵn y ffrwydrad
papur setlo – 'pay-slip'
celc – arian sbâr
bonc – oriel yn y chwarel
bargen – darn o graig
allt – inclein
trafal – llath haearn i naddu

Coeden

Mynwent St Cawrdaf, Abererch

Mae'r goeden hon yn hen,
yn hŷn na'r cenedlaethau,
a'i sisial trwchus sy'n cyfeilio
i bob crio yn y llan;

tra bydd ei dail yn teimlo,
pob brigyn yn brifo
a phob cangen yn crino,
bydd coeden yno
a'i gwreiddiau'n griddfan
yn dawel ar yr awel . . .

A dyna pam, dw i'n amau,
mae 'na wynt mewn mynwentydd.

Yn angladd yr iaith Gymraeg

Un bore, a ni heb eiriau,
ac mae'r gist, Gymro, ar gau;
mae amen i'n galar mud,
llafar i'n hunlle' hefyd,
a ninnau'n dod yn ein du
yn dawelwch o deulu.

Agor bedd i'w geiriau bach
a holl enwau ei llinach,
a'u rhoi, gyda'i marw hi,
i fynwent, yn gof inni;
yr hyn oedd mor wahanol
rown ni i'r ddaear yn ôl.

Yn ei düwch mor dawel
â'i phridd, yn llwch ei ffarwél,
yn rhy hwyr, galarwyr ŷm,
siaradus arwyr ydym;
ninnau â'n parabl uniaith
ddaw â'r arch i gladdu'r iaith.

Aros

ar ôl dod o hyd i nodyn wedi ei sgrwnsio mewn drôr

Pelen oer yw'r geiriau crwn,
sillafau'n ôl o'r bywyd hwn;

pelen wen a'i geiriau gwneud
cyn inni'n dau wenwyno'n dweud;

pelen ddoe a'i geiriau clyd –
pam ga'dd hi aros yma cy'd?

Am fod dwyn pob gair o'i phlygion hi
yn codi hiraeth arna' i.

Cyfeillach

pedoffeil mewn ystafell sgwrsio yn denu pobol ifanc

Mae'n hwyr, ond mae 'na eiriau
yn dal i fflachio rhwng dau;
dwy lygoden ddienw'n
llythyru'n oer ydyn nhw.
Un yn hen ar lein y nos,
un arall, iau, yn aros . . .

Ond mae gwe y bore bach
un gusan yn agosach,
a'r neges yn anwesu'n
rhy daer, yn llawer rhy dynn.
Mae sgrech ar sgrin y fechan
a'i byd mud yn ddarnau mân.

Pwdin Dolig

er cof am y newyddiadurwr, John Roberts Williams, a fu farw Hydref 2004

Dros ei sbectol, bob Dolig,
yn nyddiau'i wên a'i boen ddig,
hen ŵr ddôi i'r gegin hon
i anwesu'r cynhwysion
ac, yn y fan, gweini'i faeth
yn bwdin o wybodaeth.

Wedi oes o fwydo'i iaith
yn seiniau blasus uniaith,
oes o bwyso ei sbeisys,
mesur blawd rhwng bawd a bys,
nid oedd y stori'n dyddio
owns a gram o'i siwgwr o;
a'i iaith mor bur ei ffrwythau,
berwi hwn fynnai barhau,
am mai'r ŵy oedd Cymru rydd
a'i fenyn oedd Eifionydd.

Yng nghegin y werin hon
heddiw, llosgodd newyddion:
ni ddaw ei phencogydd hi
i lanw'n desgyl 'leni.
Yn newydd hen, o'n bwrdd aeth
ei bwdin a'n gwybodaeth.

Pan fo geiriau'n lliwiau

rydw i'n gweld geiriau mewn lliwiau – mae enwau, llefydd a phobol yn cynrychioli lliw i mi

coch
Yn Y Felinheli
ac yn Sbaen
mae record a llyfr a chadair a chapel,
bacwn a macrell,
trwyn, croen, calon a chynghorydd,
Alys, Rhys ac Arwyn
yn un cylch,
yn goch.

glas
Radio, dad a geiriadur
ydi glas i mi;
a thrwydded, carped a chynghanedd,
dŵr, talc ac anghenfil, a bae.
A disynnwyr ydi hyn oll
oni bai am Gaernarfon, Dwyran a'r Eidal.

melyn
Melyn ydi haf,
Pen-y-groes a Sweden
a'r artist Peter Prendergast,
bwrdd smwddio, winc a photel,
rwbel, dyddiadur a stryd,
ci, car ac, yn rhyfeddach fyth,
melyn ydi oren!
Nia, Rhian a Phwllheli hefyd.

gwyrdd
Cerddi Gwyn Thomas ydi gwyrdd,
fel milltir a phedol a phry',
gymnasteg, Bangor a Meinir,

garej, mam, burum ac eisteddfod,
a'r lôn newydd i Drefor,
a Chymru i gyd.

du
Mae Bethesda yno bob amser,
mor dywyll â siswrn, a'r Almaen,
ceffyl, croes a mynydd,
rasal, pry' cop a dafad,
bag a ffôn.
A gwae,
mae byd, hefyd, yn ddu i mi.

gwyn
Nid nefoedd, ond mae angel yn wyn,
a Llangefni a Lwcsembwrg,
gewyn ac ŵy a physgodyn,
sebon, llechi a chwarel,
casét, coleg a llygad.
Ond os mai'r holl liwiau yn gymysg ydi gwyn,
oni ddylai fy ngeirfa gyfan doddi'n enfys yn fan hyn?

CERDDI'R BEGAR BACH

– ar ôl treulio diwrnod yn cardota ar Stryd Fawr, Bangor

Gwybod fy lle

Ar Stryd Fawr Bangor,
gwelais, droeon, anffodusion
yn crio ar eu gwelyau carbôrd;
yn griddfan trwy wlân eu balaclafas
neu ryw locsyn blêr
ei bod hi'n oer,
eu bod nhw'n llwgu
ac na fasan nhw'n dychmygu gofyn
am un dim
oni bai eu bod nhw wedi dod i'r pen . . .

Ar nodyn carbôrd –
er mwyn dyfnhau'r effaith –
fe fyddai'r geiriau
'Digartref'
a 'Di-waith'
wedi'u sgrolio'n dew mewn du;
a'r glaw, weithiau,
yn taflu dagrau at y gosodiadau
a'u strempio fel masgara
rhwng y llythrennau llaith.

Ar Stryd Fawr Bangor,
gwrandewais, droeon, ar anffodusion
yn ei dweud-hi i'r gwynt;
ond ni chlywais nhw cyn hyn.

Eistedd wrth draed y byd

Dim ond ar lawr
ar ymyl stryd
y gwelaf o'r newydd
y modd y mae pob troed
yn cicio
sathru
baglu
a sodlu
ei ffordd trwy ein byd annibynnol;
a phob un yn gwneud ei gorau
i osgoi'r craciau
yn ei phafin ei hun.

Cana, washi!

Y mae'n drosedd anfaddeuol,
yn ôl rhai o siopwyr boreol Bangor,
i feiddio begera
heb gynnig adloniant.

Petawn i'n ganwr, yn jygliwr, yn artist pafin . . .
byddai unrhyw beth yn well na bod yn ddim ond rafin
didalent.

Am hynny, daw ambell lais unigol i gwyno
ac i gordio'n swnllyd:
"Chei di ddim sentan gin i, washi,
am eistedd ar dy dîn,
nes y cani di gân."

Ond fedra' i ddim canu,
ac, am unwaith,
all holl haelioni

y dyrfa fach o wylwyr
(a darpar-noddwyr)
ddim prynu'r grefft honno
i lais brân fel fi.

Y newid mân

Methais yr union eiliad
y glaniodd y ceiniogau cyntaf
ar fy hances o ddenim;
ond mi glywais eu hadlais yn y pafin
a hwnnw'n gweiddi, "Diolch!" ar fy rhan.

Mi hoffwn i fod wedi gweld
y rhoddwr
neu'r rhoddwraig
nad oedd am oedi i weld effaith
na chasglu adwaith;
dim ond rhoi wrth basio
cyn diflannu wedyn i'r dorf o waledi.

O gael y cyfle, mi hoffwn fynegi
fy ngwerthfawrogiad
o'u cyfraniad . . .

ond sut yn y byd
y baswn i'n dweud hefyd
nad ydyw disgiau cariad
pob un o'u ceiniogau
yn hollol, hollol angenrheidiol
i'r ffug-fegerwr hwn?

Yn sydyn, mae yn y dyrnaid arian mân
euogrwydd sy'n fy llethu i yn lân.

Ben

Mae Ben yn deall symudiadau'r strydoedd hyn,
ac mae wedi dewis bod yn ffrind i mi;
ddywedodd o ddim hynny'n union,
dim ond snifflian
a gwneud yn siŵr
fy mod i'n gwybod
ei fod o yno.

Mae ei sgwrs yn ddiffygiol
a'i snifflian yn niwsans weithiau,
ond mae Ben yn deall be' ydi be' ar strydoedd Bangor;
wedi gweld fy nheips i yn mynd a dod,
gan wneud ceiniog neu ddwy
ac yna'n eu colli
cyn llusgo'n ein blaenau i'r dref nesaf.

Nid beirniadu y mae Ben,
dim ond snifflian,
ysgwyd ei gynffon gyfeillgar
a chwilio am friwsion bisgedi yn fy mhoced.

Blîp

Daw rhesi ar resi i aros eu tro
o flaen y peiriannau pres,
a'r cyfan glywa' i
ydyw'r un sgwrs undonog
drosodd a throsodd, sef
blîp . . . blîp blîp blîp blîp . . . blîp
a blîp arall.

Weithiau fe fydd y peiriant yn tramgwyddo,
yn gwrthod rhoi mags,

ac fe fydd rhegi wedyn
a bygwth siarad â bosys y banc;
ond y cyfan glywa' i ydyw
blîp blîp blîp blîp blîp blîp blîp
blîp blîp blîp blîp blîp blîp blîp
blîp blîp blîp blîp blîp blîp blîp
blîp blîp blîp blîp blîp blîp blîp
sef
"cymer dy gerdyn a rhodia, gyfaill –
mae angen arian cyn y medri di fentro dadlau efo fi."

Cyfri' dim

Yr hen siaced geometrig –
gwelaf hi o bell
yn onglu ei ffordd i lawr y stryd;
gyda hi, fe ddaw Syr,
a'i dymhorau sialc dau ddegawd yn ôl,
i ail-sgwennu'i fformiwlâu yn glir ar fwrdd fy nghof.

Ond dydi Syr ddim yn gallu adio heddiw;
mae un ac un yn gwneud rhywun arall
ac, wrth i'r siaced sgwarog gerdded heibio i fegerwr tlawd,
swm yr holl ofod rhyngom ni
ydi dim.

* * *

Yn rhyddhad dros-dro y diffyg adnabod,
mae un cwestiwn
o hyd
yn mynnu fy mhoeni . . .

Beth os gwelodd Syr yn glir
heibio i'r baw a'r gwg,

heibio i'r ofn a'r adnabyddiaeth yn fy llygaid innau,
nes iddo deimlo y byddai'n haws
ac yn garedicach –
flynyddoedd wedi'r algebra anodd a fu rhyngom ni –
iddo basio heibio
heb gymryd arno
fod dim o'i le;

ac iddo gyrraedd y staffrwm fore Llun
wedi gweithio allan,
yn llawn rhesymeg wythnos newydd,
fod tranc ei gyn-biwpil ar balmant y dref
yn sgandal anfeidrol ei hapêl;
ac i'r sgwrs gydio
a phara dros ddau amser egwyl
a thri chwarter ffordd drwy amser cinio;
cyn i ryw hen wag,
nad ydyw'n cofio'n ôl i'r dyddiau hynny
pan oeddwn i a'm cyfoedion yn llond eu hamserlenni,
ddatgan yn ddifater:
"Dw i wedi'i weld o i gyd o'r blaen –
does yna ddim helpu rhai bygars bach",

ac i bawb arall,
wedi credu fod fy mywyd ar chwâl,
wneud dim oll
ond cytuno ag o?

Prynu gobaith

Yn bresennol, mi gyfrwn y casgliad.

'Rôl cario'r hen hances ddenim, rad,
i ddiogelwch trysorlys
y toiledau cyhoeddus
a bolltio'r drws,
rhifaf y cwbwl o'r elusen esgus
yn dair punt namyn chwe cheiniog
neu, i fod yn fanwl gywir,
dwybunt a naw deg pedwar o geiniogau.

Mae'n rhaid fod pobun
a arferai garu'i gyd-ddyn
wedi symud o Fangor i grafu byw.

Ond punt, i mi heddiw,
ydi tocyn loteri,
a dydi Lwc ddim yn meindio
pwy sy'n mentro
yn gobeithio
nac yn llwyddo,
cyn belled â'i fod o
yn cael ei siâr.

Bellach, mae cyflog heddiw'n ddwy lein *Lucky Dip,*
naw deg pedwar o geiniogau oer
a llond poced o obaith
sy'n para'n fyw tan funud wedi wyth
nos Sadwrn nesa'.

Cadwynau

er cof am Wmffra Jones, Waunfawr – canwr ac eisteddfodwr

Heno, pwy fedrai ganu
a'i unawd ef dan bridd du?
Di-gerdd ydyw'r wlad i gyd,
o'r nefoedd i'r Waun hefyd,
a'r un llais â'i aria'n llwch,
ei alaw yn dawelwch.

A'i denor mewn cadwynau,
ni ddaw'r gân â'r bedd ar gau;
mae mor gaeth â'n hiraeth ni
o ŵyl lonydd eleni.

Fe roed Wmffra'n gân i gyd
i gyweiriau y gweryd,
ac mae gofod ei nodau
yn un saib oes dros y bau.

Y llais i'n diwyllio oedd
yn neuaddau'r blynyddoedd,
y llais sydd o'i golli o'n
un anodd i'w aildiwnio.

Am hynny, y mae heno'n
Wmffra rhy gryg dan y gro,
am na ddaw ei alaw'n ôl,
a'i seiniau'n holl-absennol.

Ac yn y golled wedyn,
heno'n y nos, mae 'na un:
un yn y Waun ei hunan
yw'r gŵr â hanner ei gân;
un o ddau yn y ddeuawd,
a'r un oedd i Wmffra'n frawd.

Un o raid; ac mae tiwn gron
anobaith yng ngherdd Mabon.

Mae marwnadau'n nodau ni'n
fiwsig unig eleni;
bariau ofer sy'n brifo
am mai mud ei anthem o.

Yn ein gŵyl, ni all galar
ledio un felodi wâr;
eisteddfod ddidafod yw,
a hen dlawd o ŵyl ydyw.

Nid oes allwedd na gweddi
heno'n y Waun na'n llan ni
ddaw i ryddhau'r alawon,
meirw ŷnt, a'r Gymru hon.

A'n nodau'n ddagrau mor ddu
heno, pwy feiddia ganu?

* * *

Ond rhy dawel tawelwch,
er i un llais oeri'n llwch.

Os oedd Wmffra'n gân i gyd,
roedd ef yn erwydd hefyd:
ac nid cân un nodyn oedd,
wythawdau'n cyfoeth ydoedd.

Fugail hoff, mae'i iaith dan glo,
a rhyw amau yn rhwymo'i
gymuned; ac mae hynny'n
gwacáu'r llwyfannau a fu.

Yma nawr, mae'i amen o'n
galw ym mhob un galon
am barhad i'w ganiadau
yn eco hir llenni'n cau;
am denor i'w hagor nhw,
â'n hunawdydd yn lludw.

I neuaddau'n llonyddu,
down â'n dawn yn nodau du;
down o hyd i'w donau o
yn y gweryd, a'u geirio;
down â'n hunawd i'n heniaith,
a rhoi'r gainc Gymraeg i'r gwaith.

I Dŷ Coch, cawn godi cân
o enaid Wmffra'i hunan;
i'r Betws dywedwst, daw
eilwaith ddesgant ei alaw;
a draw, draw o sŵn y stryd,
emynau i'r Waun bob munud!

* * *

Y mae'r düwch mor dawel
ag aria ola'i ffarwél,
a heno, mae caneuon
yn rhad, mor ofer â hon.

Ei diwn ef, nid â'n ofer,
â'n nos hyll mor brin o sêr.

Diffyg ar fy lleuad

Dw i'n dychryn
pan wela' i ben draw'r bydysawd
ar noson dywyll o glir;
mi wela' i ymhellach heno na wna' i ganol dydd
am fod sêr, sêr ym mhob man,
yn hongian gerfydd rhyw ryfedd rym
sy'n gwrthod gadael i'r un golau
syrthio a diffodd cyn ei amser.

Yna, am hanner nos,
yr awr ddeuben honno rhwng ddoe a heddiw,
heddiw ac yfory,
y mae'r lleuad lawn yn diflannu am funudau maith,
ac wrth i'r cysgodion symud yn drwm o ddistaw rhyngof fi a hi,
diffodda fy mydysawd hefyd.

Ond pan ddaw'r pŵer yn ei ôl,
mae pob peth fel ag yr oedd
am ennyd,
nes i minnau sgwintio i bellafoedd y gofod newydd hwn
a deall na all un dim
fod yn union yr un fath byth eto:

uwch fy mhen,
ym mhatrwm blith-draphlith bwriadol y sêr
a'r düwch parhaus,
mae bydoedd, fel bywydau,
yn cynnau'n obeithiol,
yn sgleinio tu hwnt i'w potensial
ac yn ffrwydro'n dawel
cyn peidio â bod.

A dyna pam,
un rheswm pam,
nad ydw i eisiau gweld yfory'n dod.

Tua'r sêr

Hanes ydi seren
ac, er i mi ryfeddu at ei sgleinio heno,
mi wn fod ei hawr ar ben
a'i llosgi'n llwch
ganrifoedd cyn i mi wincio i fod.

Ac mae hynny'n ddychryn;
oherwydd, uwch fy mhen,
yn y patrwm blith-draphlith a'r düwch parhaus,
mi chwiliais am fy nisgleirdeb i fy hun,
am addewid anfarwol,
a'i chael:

cyn i'r lleuad lawn ddiflannu
ar dro nesa' rhod y nos,
dim ond seren fydda' i.

Ai chi ydi'r Santa go iawn?

Mae'r gwallt yn rhy syth, y siwt yn rhy hen,
a'r farf yn rhy gyrliog o dan dy ên;

mae'r sgidiau'n rhy drwm, y belt yn rhy dynn,
a'r eira ar dy ysgwydd yn lot rhy wyn;

y dwylo'n rhy hir, y trwyn yn rhy goch,
y camau'n rhy sionc, a'r llais yn rhy groch.

Ond eto, ar noswyl fy neall i,
mae'n well gen i gredu mai ti wyt ti.

Ym Methlem o hyd

Nadolig 2004

A'r diafol yn nhre' Dafydd
a Duw wedi ffoi o'r dydd,
y mae hi'n nos am na wêl
ei doeau'n garol dawel.

Mae mam ym Methlem o hyd
a wylofain hil hefyd,
mae Herod ac mae marw
wedi hollti 'ni' a 'nhw';
yn y dannod rhwng dynion,
ym mhob poen, y mae mab hon,
ac, i Fair, mae'r gaeaf hwn
yn aileni gŵyl annwn.

Dan un wybren serennog
ar ei Air, yno ynghrog,
mae mab ym Methlem o hyd
am i'w Iôr eto ymyrryd;
y baban sydd heb wybod
mai trwy ei fyw mae Duw'n dod
i lanhau'r engyl yn haid
ac i goelio'r bugeiliaid,
dod i warchod drwg a da,
a rhoi amod i'n drama.
Ar daith yng nghwmni'r doethion
adre' o waed y dre' hon,
Ef ei hun yw'r lôn o fall
y dwyrain ar rawd arall.

O Nadolig dialedd
ac o'i sŵn, wrth geisio hedd,
mi af i Fethlem o hyd,
wedi'i wadu, a d'wedyd:
"Iesu a ddaw ar nos ddu
i'w grud" – a cheisiaf gredu.

TYWOD

– Luxor, yr Aifft

Trionglau ar y tywod

neu, Beth yw'r gwirionedd?

Pythagoras a ddywedodd
un noson feddwol dan bont stesion yng Nghairo
a photel o *ouzo* yn chwysu'n ei boced,
fod y byd yn drionglau i gyd.

Ac yno, ar y gyrdars petryalog,
fe chwistrellodd ei rwystredigaeth
yn enfys o theorem:
$a^2 = b^2 + c^2$.

A gwir oedd ei air,
oherwydd does dim ffurf sicrach
na chadarnach na chytbwysach
yn y byd
na'r triongl.

Iesu G a ddywedodd
mewn gig mileniwm ar ben mynydd yng Ngalilea
a'i becyn o bysgod yn chwysu'n ei boced,
fod y byd yn driciau i gyd.

Ac yno, ar lwyfan o garreg,
fe stompiodd ei weledigaeth
yn gadarn mewn dameg:
codwch eich tŷ ar y graig.

A gwir oedd ei air,
oherwydd does dim sylfaen sicrach
na chadarnach na chytbwysach

yn y byd
na'r graig.

Ac felly'r Eifftiaid,
o gasáu'r Israeliaid
ac o ran sbeit i'r Groegiaid,
a gododd ddelwau eu gwirionedd hwy
bedwar triongl isosgeles ar y tro
a'u honglau main yn cyffwrdd, prin gyffwrdd.

Hyn oll ar wely o dywod.

Chwarae gwyddbwyll

Roeddan ni'n chwarae gwyddbwyll pan ollyngodd o'r bom.
Theimlodd o ddim byd.

Roedd hi'n bnawn hyfryd o Hydref,
ein byddinoedd yn llithro
o sgwâr i sgwâr
heb ofid yn y byd
ond am eu bywydau alabaster,
a'u cyfarwyddiadau
o frwydr i frwydr
yn dod gan ddau chwaraewr braidd yn brennaidd.

Ashraf a ddechreuodd y cyfan,
wrth sipian diod o de cryf
a chynnig paned ddi-laeth i minnau
a munud i orffwys
yng ngwres didostur canol dydd.
Ddwyawr bell yn ôl.

Roedd set radio grintachlyd yn gleciadau'n y gornel
a Mohammed Monir
yn crynu-canu yn y cefndir.

Ac yna'r llais – a'r cais – trwy waelod cwpan te
wrth i'r siop fechan ddechrau llenwi â chwsmeriaid dyfnach,
llawer dyfnach eu pocedi na fi:

"Wyt ti, fy ffrind arbennig, am brynu'r set yma i fynd adra'
efo chdi?"

Siec, mêt?

A finnau'n gwybod dim fod darnau alabaster mor gain,
yn frenhinoedd a breninesau,
yn gallu lladd breuddwydion gwerin
go iawn.

Ac adref mor bell ag erioed

ar brif stryd Luxor

'Rôl rhwyfo'r byd am ddôs o ddieithrwch
a chribo corneli am brydferthwch;

'rôl nofio'n ddall trwy'r glesni rhyngwladol
a chodi uwchlaw pob mesur meidrol;

mae dyn yn canfod 'run fath drws nesaf
ag a welodd ddoe'n y wlad ddiwethaf,

sef
un arwydd taci
uwch hen barasol shabi
yn falch o gyhoeddi
mai dyma dafarn Brydeinig y King's Head.

Bryd hynny, mae'r siom o gyrraedd adref
gymaint â'r hiraeth wrth adael cartref.

Colomennod Khaled

roedd Khaled, y saer maen, yn rhannu ei ystafell fyw fechan efo nythaid o golomennod, ac roedd o'n arfer eu lladd yn ôl yr angen am gig

Mae Khaled yn grefftwr,
yn ŵr da,
yn gwrando ar lais ei dduw.
Mae'n golchi ei ddwylo'n lân yn y gegin
er mwyn gwaredu'r gwaed,
a fwrdrai o ddim mochyn am bensiwn blwyddyn.

Rwy'n ei weld yn wahanol heddiw,
y fo a'i ddwylo glân,
a'r ffordd y mae'n tywelu'r
diferion dagrau oddi ar ei fysedd
cyn cynnig i mi
lond plât cymdogol o gig colomen.

Sbïo i lawr

o gefn camel

Roedd o ar ei ffordd
i brynu'r dyfodol, medda fo –
yn fflip-fflopian ei ffordd
gan dywys Casanova, y camel,
a'r camerâu coesiog
o gwmpas bro blaen ei blentyndod.

Salem, yn bymtheg oed byw,
yn ddi-dad,
yn ddiaddysg,
a finnau'n cyrraedd y stabl
o'r gorllewin
gan ddwyn gobeithion.

Fe fendithiodd o fi am ddod, gan ddweud
ei bod hi'n gwneud tywydd reit oer, yn ôl safonau'r Aifft,
ac efallai y gallai o, rŵan,
brynu bwyd i'r fam fory . . .

ac mi brynodd o fy nghalon.

Ond rhwng dechrau a diwedd y daith arbennig hon,
wrth lyncu'r ddau gan punt am basio 'Go'
a rhwng dechrau a rhoi'r gorau i geisio'i adnabod,
fe oerodd yr awyr
fyny fan hyn.

Nid Salem ydi Salem ei chwedlau,
er gwaethaf ei enw Beiblaidd.

Fe safodd yn stond
oddi tanaf, ond eto uwch fy mhen,
yn dal allan law ei dlodi,
ac fe'm gorfododd i'w gasáu
o styfnigrwydd fy sadl.

Yn garafán unig
a'r haul yn ein llygaid,
doedd dim troi'n ôl,
ac wedi'r 'Na' terfynol –
pendant ond manesol a chydymdeimladol –
doedd dim ond sŵn traed Casanova yn chwipio'r llwch
    oddi tanom
ac arwydd '*no sale*' ar dalcen y teithiwr hwn.

Na, Salem, chei di mo fy mhrynu i, eto.

Bazaar cysgodion

"Ga'i brynu dy gysgod di?
Ga'i gynnig arian iti
am y düwch *chiffon*, brau
sy'n glynu wrth dy sodlau?"

Mae gwŷr â breichiau nadroedd
yn poeri'u pris yn un floedd;
mae diwedd dydd a'i heulwen
yn sbotleit tân yn y nen
a finnau'n gawr hyd y llawr,
yn Oliath go werthfawr.

Ildiaf i'r breichiau nadroedd,
ildiaf i'r dwrn yn eu bloedd;
dwrn o geiniogau arian,
y dwrn sy'n nabod man gwan.
Derbyniaf gynnig y bunt –
gwerthaf fy nghysgod iddynt!

Ond â minnau fy hunan,
ciliaf i'r gwyll yn y man;
yn yr haul, y mae o hyd
gysgod i gysgod hefyd
ac, yn y golau, bydd o,
fy mhrynwr, yn fy ngwisgo.

Priodas Huw 'Thinog

i Huw Roland Evans, Pant Eithinog, Pen-y-groes, a Manon Clwyd ar achlysur eu priodas yng Nghyffylliog, Sir Ddinbych, Mai 16, 2001. Maen nhw wedi ymgartrefu yn fferm Cae Efa Lwyd Fawr, Pen-y-groes.

Heno, mae Pant Eithinog
yn fin oer, fel rhyw lafn og,
a dau ar aelwyd ddi-dân
yno'n eu holi'u huna'n,
yn wylo llif dy golli,
yn daer am dy gwmni di!
Mae Pant Eithinog, hogyn,
heno'n oer, yn brin o un.

Nid yw 'Thinog yr hogyn
heno'n oer, yn brin o un,
a dau o'r newydd yn dod
i gaer Efa i greu hafod.
Dau aradr yn daearu
hadau'u hil yn yr hen dŷ,
dau a roes eu hoes i hon
heno yw Huw a Manon.

Yn y wlad, ar fin y lôn,
heno mae Huw a Manon
lle bwria'r ddau wreiddiau'n rhydd,
yno'n hau haf o'r newydd
a chreu ach, nes i Dachwedd
serio ei gŵys ar eu gwedd.
Esgor fel y tymhorau
a wna eu dyddia' nhw'u dau.

O ddydd i ddydd, boed i'r ddau
nefoedd o wên a hafau,

gwin a brefiadau gwanwyn,
cynhaeaf mawr, gaeaf mwyn.
Heno, mae Pant Eithinog
a Chae Efa'n gân y gog
o weld dau yn hau o'u hôl
had i'w fedi'r dyfodol.

Traeth

i longyfarch Dylan Iorwerth ar ennill Coron Eisteddfod Genedlaethol Llanelli 2000 gyda dilyniant o gerddi am ei ddiweddar ffrind, Dafydd Vernon Jones

Mae storom Awst ar y môr
a'r haul yn crio halen,
cregyn y cur ar agor,
galargan un wylan wen . . .
Ar draeth aur, dy hiraeth ŷnt,
tywodion helynt ydynt.

Ond ym mhob gronyn unig,
yn nhwymyn Awst, mae 'na un;
yng nghwestiynau'r dagrau dig,
yn y folawd hirfelyn,
a thraeth dy hiraeth bob dydd
yn ei gofio'n dragywydd.

Cofio Rog

er cof am John Roger Price, ffrind ysgol a syrthiodd i'w farwolaeth oddi ar greigiau Y Glais, Aberystwyth, ar Hydref 17, 2001

Cragen yw Aber heno,
un wag, fel ei enw o;
Y mae'r gwynt oer yn poeri
ei dwyll i fy llygaid i,
a'r graig a heria'r eigion
i lanw o wae y lan hon
yn gan gwaith duach ei gwedd,
yn ddüwch ac yn ddiwedd.

Dyna pam y cwestiynaf
yn fan hyn ar derfyn haf
pwy yw'r un sydd ar y prom –
un lle bu dau ohonom?
Heno, mae pob dymuniad
i'r tu hwnt, yn weddi i'r Tad,
am i un gael dod o'r môr,
ar i angau fwrw angor.

Ond o galon y tonnau
heibio i hedd gorffwyll y bae,
o'i alw'n enw i'r nos,
enw hiraeth sy'n aros.

I Mererid

i longyfarch Mererid Hopwood ar ddod y ferch gyntaf i ennill
Cadair yr Eisteddfod Genedlaethol, 2001

Unwaith, cyn dod Dadeni
i dir neb ein hyder ni,
yr oedd niwloedd hen elyn
yn drwm dros gadeiriau hyn
o wlad, ac fe glywyd lol:
"Mae'r awen mor wrywol",
"Ond y dyn sy'n ddigon da",
"W, efallai" neu "Ella"
a "rhyw ddydd" yn rhwydd o hyd,
ond 'ef' a godai hefyd!

Mae merched llên eleni
yn iach am mai merch yw hi
a'i chusan sy'n creu hanes,
yn iahw! am fod clod yn nes;
er hynny, nid rhyw enyn,
nid hanes dynes a dyn,
anwyd yn Awst eleni –
fe ddaeth am mai bardd yw hi
a'i chân yn gân y geni,
mae'n oes o gân ynom ni.

Yn wyneb haul goleuni
ac yng nghlymau'i hofnau hi,
y mae mam a'i chryfder mud,
y hi fu'n sgwennu hefyd;
pob merch a mab, pob baban,
mae'r byd i gyd yn y gân.

Nid unrhyw ferch-wên-serchus
ydyw'r llais ga'dd fynd i'r Llys,

ond un â Llygad y Dydd,
un a'i hawen mor newydd.
Wedi awr ei chadeirio
(un awr ar ei lwyfan 'o'),
nid y dyn yw'r gelyn gwêl,
agorodd inni'r gorwel . . .

Y geiriau bach mawr

i Annes Glynn, ar ennill y Fedal Ryddiaith
gyda chyfrol o lên meicro, Symudliw

Mae'n llên yn fach eleni,
a'r dweud ar dy fesur di,
y mae'n holl iaith yma'n llai,
yn agos ei mynegai;

un rhy wir ei byrder yw
a thawedog ddoeth ydyw,
am mai hyd brawddegau mân
yw lled y seibiau llydan.

Yn oes siarad dros eiriau
ac o weld pob mawredd gau,
clywaist leisio meicro mân
yr ebychiad mawr bychan;
a'r llên sy'n llai eleni
sy'n mwyhau dy eiriau di.

Dylan-wad Dyffryn Nantlle

i gyfarch Tudur Dylan Jones ar ennill Cadair
Eisteddfod Genedlaethol Eryri a'r Cyffiniau, 2005

Mae, yn ardal fy nghalon,
fan i Leu a Llyfni lon,
enwau i'w chaeau a chân
sy'n hŷn na'i chof ei hunan.

Yn chwedlau ei herwau hardd
un haf, mi glywodd Prifardd
hanes, a'r stori honno'n
ei gorddi i ddweud ei gerdd o.

Aros cân bu Drws-y-Coed
unwaith yng nghreithiau'i henoed,
yn Nhal'mignedd bu gweddi
blynyddoedd maith ein hiaith ni;
Bwlch y Gylfin fu'n unig
heb yr haul i d'wynnu'r brig,
eco'r hil o Barc Cae-cra
i Gwm Du ac amdo'i aea'.

Ond, Llyn 'Dywarchen heno
a'r dŵr oer sy'n berwi dro,
a mwy, lle bu niwloedd, mae
rhyw hud ar Gelli Ffrydiau;
mae gwên ar Bont Gelenau,
yn y Ffridd; iaith a'i pharhau
'Nghlogwyn Marchnad, a'r adar
yn gân o hyd, yn gân wâr.

Dylan, i'th ysbrydoli,
cym'raist lyn fy nyffryn i,
cym'raist ardal fy nghalon
a chym'raist ti'r Lyfni lon;
ac, o wneud, rhoist gân i ni'n
y dŵr. Rhoist ran o'n stori.

YNYSOEDD

– yng Ngorllewin yr Alban

Dawnsio llinell

Ynys Aran

Ar noson siwmperog o Orffennaf,
dw i'n eistedd ar graig
yn gwau patrymau o ddenim
a lledr yn fy mhen;
ac mae'r dre' i gyd yn anadlu mewn swêd.

Ar noson siwmperog o Orffennaf,
dw i'n eistedd ar draeth
yn gwau patrymau o gêblau
a gwlân yn fy mhen;
a'r machlud coch yn morio iaith cowboi.

Stympiau

Ynys Staffa

Mae stympiau sigaréts ger Ogof Fingal,
lle mae'r prynhawniau yn drachtio'n hir
o'r awyr syrthiedig;
ysbrydion asthmatig yn dylyfu gên
a'r tonnau'n pesychu hen gadensa'r môr.

Ond yn llonyddwch llwyd y niwl ger trobwll y bydysawd
lle mae cysgodion yn cordio'i gilydd
a'r gwynt yn newid cyweirnod,
fe ddaeth baton hir yr haul
am ennyd
a datgan, rywsut, i'r cerrig byddar:
"Bu Mendelssohn yma."

Buwch Phil Collins

mae gan y canwr roc, Phil Collins, fferm ger Glen Mhor ar Ynys Mull, lle mae'n cadw brid hynafol o wartheg yr ucheldir

Drwy ffrinj ei gwallt gwyllt
mae'n syllu'n hir arna' i.
Cha' i ddim croesi'r cae –
wel, ddim heb fy nghornio.

Mae styfnigrwydd yn ei gwaed
wedi ei gerfio gan y gwynt
a'i rewi yn nharth yr haf.

Ac eto, mae yn y pyllau dyfnion
a'r dagrau sychion
ryw linach o atgofion . . .
am gaeau a esgeuluswyd,
am lanw mawr
a thrai.

Ac wrth i'w gefaill gnoi cil ar yr awel
(maen nhw mor debyg â'r dyddiau i'w gilydd, wyddoch chi)
mae'n gwylio'r byd yn tarddu eto;
y glaswellt yn cynrhoni
a'r dyfodol yn ffril am ei ffêr.

Yna, mae'n gostwng ei phen yn fodlon,
yn blewynnu'r borfa newydd
a'i wyrddni hynafol
a, gyda'i llygaid yn loyw,
mae'n dechrau pori fy hanes.

Première Batman a Robin

sinema Oban

Mae hi'r math o noson
y mae llafn y lleuad yn ei mwynhau:
jingl-janglian y sêr
ar hyd tarmacadam yr awyr
wedi i bawb call fynd i gysgu;
noson pan fo dagrau'n troi'n neon,
dannedd yn gerrig beddau
a thalcennau'n toddi mewn asid o chwys.

Be' ddigwyddodd i'r hen Batman?

i'r cyffyrddiadau dynol
a chymesuredd ei chwedlau?
i fwmian-yn-unig gynnau ar sgrin
a chip sydyn ar wyneb Angau
wrth i Exit flincio'i ffordd allan yn y gornel
a gorfodi'r freuddwyd i fyw.

Achos dim ond ffilm ydi hi . . .

ond, wrth ddychwelyd i'r strydoedd baw cŵn
ac ofn Gotham lond ein gwalltiau,
rydan ni'n anadlu'n cysgodion
ar yr aer oer.

Ac, wrth i edau frau y lleuad ddatod,
mae yna ryw lafn arall yn crafu'r nos.

Gwerthu

Ynys Iona

"Columba's Quartz – 30 pence"

Mae'n haf yn yr enaid
ac, yn sŵn clychau tils y dydd
dan awyr orllewinol
mae croes Columba wedi ei phaentio'n gywrain ar garreg
ei gwthio i'r haul
a'i gosod i buteinio mewn bocs wrth giât y tŷ.

Dal sylw'r llanw drwg yw ei champ –
codi sgert ei thraddodiad parchus,
ei lapio ei hun mewn papur sidan,
a chrymanu gwahoddiad ei bysedd sent
wrth i'r môr godi'i ysgwydd
a thywys y fferi yn ôl a blaen
o'r tir mawr
i'w breichiau.

"Rwy'n cofio'r dydd . . ."
meddai 'sgotwr y gorffennol ar dywod gwyn y bae –
mae ei gaets cimwch yn wag,
a'i blant yn dysgu sut mae byw go iawn
mewn coleg yn Glasgow
bell.

Dydi o ddim yn deall
sut mae amser wedi hen gannu sen ei gymdogion,
wedi trethu'u hegwyddorion
a theneuo blaengudynnau eu gwalltiau brith.
A dydi o ddim yn deall,
wrth sefyll ger wal yr abaty
yn nhlodi ei bensiwn,
sut mae parc picnic y fynwent
yn prysur feddiannu'r lle.

Ci'n cysgu

Mae pnawn ei bendwmpian o
yn waed ac yn freuddwydio;
mae'n degan o gi anwes,
yn ddof nawr, ond â greddf nes:

Daw hen gi ei ddoe ffiaidd
i'r gwely blêr ag ôl blaidd
a rhyw s'nhwyro sŵn hiraeth
yn chwerwder y goler gaeth.
Yn ôl gwaed cenel ei go',
y dannedd sy'n dihuno
hyd ei enau'n wylltineb –
yn driw i'w dras, yn was neb.

Mae'n gi oriog, mae'n gariad,
mae'n gymar ffyddlona'r wlad,
mae'n gi i mi, a chi chwain,
anwylyd o gi milain;
mae'n gi gwaith ac mae'n goethi,
mae'n hŷn na fy nilyn i,
yn gi ufudd ei gyfarth;
yn gi o hyd a chi'n gwarth.
Ci a'i chwyrnu'n gysgu i gyd,
cyfaill go frathog hefyd,
ef yw dawn gynharaf dyn,
Gelert – a chi pob gelyn;
ci ein tafod cyntefig,
ci a'i gof mor ddof o ddig.

Yna, o'r fasged wedyn,
i'w hen faes eithaf ei hun,
fe ddiflanna'r ci ffiaidd
o'r gwely blêr ag ôl blaidd;

nid ydyw mwy ond udo
oes o dwyll i'w glustiau o.

I degan o gi anwes
mor ddof nawr, y mae'r reddf nes
fel ci bwtsiar yn aros
yn yr hedd yn nannedd nos.

Damwain yng nghefn gwlad Cymru

Mae'r lôn mor gul â'r Suliau
yn y llan, a'r dre'n pellhau;
fe yrra hwn draw i'r Fro
yn uniaith ei sbarduno,
geiriau'i hwyl yn sgrialu
tua '*Wales*' i brynu tŷ,
yn llywio'i ddod, yn lladd iaith,
yn fodur â'i dafodiaith.

Ni wêl hwn, yn niwl ei haf,
arwydd y peryg araf,
a gwêl Y Fro o gelwydd
hyd yr hewl yn freuddwyd rydd;
ni wêl ef ar neidr o lôn
alanast ei olwynion,
y wawr o wydr, gwlad ar werth,
y ddaear a'i doe'n ddiwerth.

Ataliais fy nhystiolaeth,
a nawr, mae'r drosedd yn waeth.

Mae rhywbeth rhyngom ni

cân y pysgodyn aur

Mi ddôn' nhw, weithiau, i gyffwrdd â'r gwydr,
y bobol gyda'r llygaid gloyw
llawn dagrau.
Mi ddôn' nhw â'u gwefusau crynedig
yn gymysglyd eu geiriau
a'u cwmwl anadl yn gysgodion i gyd.

Ac yma y byddan nhw'n siarad
– yn swil i ddechrau –
am ŵr sy'n gwrthod gwrando
neu wraig sydd ddim yn malio digon i glywed.

Yma
y tu draw i'r gwydr
a'u cegau'n agor a chau,
yn cau ac yn agor,
maen nhw'n gweiddi'n dawel,
"Achub fi!"

Bwlch

Rhagfyr 2004 – ar ôl bod yn ymweld â chyn-athrawes a gollodd ei mab

A'r gwyliau'n crio'u galar
heibio i wên fy oriau sbâr,
mi ddof i lenwi gofod
un â'i byw yn ddim ond bod;
galw i weld ei gwelwi hi
ac addo'n g'lwyddog iddi,
yn agen ei hunigedd,
"daw o hyd fywyd o fedd".

A'n pnawn ni'n dwy'n gwpan de
a'r haul yn stiwio'n rhywle,
mae'r golled a'r bisgedi'n
friwsion; dyw'n hanesion ni
ond te oer tebot hiraeth
a gweddi wag ddoe a aeth.

A'r ystafell hon bellach
yn rhy swrth i sgwrsio iach,
mae loes na cha' i mo'i groesi –
mae mam am y bwlch â mi.

O LITHWANIA

Drama dioddefaint

Amgueddfa Dioddefwyr Hil-laddiad, Vilnius

Drip, drip, drip . . .
Heddiw, maen nhw'n dal i fesur y diferion
yn gyson, gyson
mewn eiliadau;
y diferion hynny
a fu unwaith
amser maith yn ôl
yn drip, drip, dripian ganol nos,
yn hurtio ac arteithio
rhyw eithafwyr pengaled
a feiddiodd herio grym y KGB.

Heddiw, maen nhw'n ein tywys ni
o'n gwirfodd
i ogof y dagrau
lle mae'r dŵr caled
yn drip, drip, dripian mor gyson
o'r to isel
yn neuaddau'r dyrnau dur.
Ac mae fy ngruddiau
fel fy arian papur
yn sychion . . .

nes y dof i allan
i olau dydd
ac y daw enwau Petras a Juozas,
Henrikas, Antanas a Stepas,
Tadas, Antanas arall a Benediktas,

Vytautas, Mykolas ac Aleksandras
i weiddi arna' i
o'u blociau lliwgar yn y waliau;
ac mae mwy, mwy ohonynt,
pob llais yn dywyllwch,
yn gysgod o fywyd a fu.

A bryd hynny rydw i'n deall
y rheiny sy'n d'wedyd weithiau
â'u llygaid yn gymylau dyfrllyd
a'u dagrau'n drip, drip, dripian lawr eu gruddiau,
"tae'r meini yma'n gallu siarad . . ."

Oriel yr oerfarwolion

casgliad o gerfluniau Sofietaidd, Parc Gruto,
Druskininkai

Mae slentan o eira ar ysgwydd Lenin,
yn pwyso yno'n drwm o ysgafn
fel llaw Hanes.

Rownd y tro, ym Mharc Gruto,
ar drywydd hwyliog y stelcian statiws,
mae Stalin,
Angarietis, Kapsukas a Dzerzhinsky
wedi'u llusgo i'w lle –
eu cyrff yn rhewi'n galed ganol dydd
a'u llygaid oer heb flincio
na'r un dwrn heb lacio,
a ninnau'n adolygu eu gorffennol.

Bryd hynny dwi'n cofio
sut y gofynnodd canwr unwaith,
'pam fod eira'n wyn?'

Tra bo Lenin a Stalin,
Angarietis, Kapsukas a Dzerzhinsky,
yn sefyllian yn segur
dan slentan gynnil o blu ganol dydd,
y gawod honno sy'n lleddfu'r co'
yn Vilnius, Druskininkai, Trakai a thu hwnt
na cha'dd yr hawl i gofio ddoe
mewn byd mor goch.

Cydymaith

wrth fedd Hedd Wyn, Ieper, Ebrill 2004

Un daith yw'n hanes ni'n dau
i Ieper nas gwêl mapiau –
i gynghanedd y beddi
a chroes wen ein hawen ni;
am hyn, bydd Pilkem o hyd
yn odli â'r ffos waedlyd.

Hyd y daith, fe fu'i waed o'n
lonydd trwy'r holl englynion,
y lôn o ryfel yw hi
â'i chanu'n heddwch inni;
am hyn, ym Mhilkem y mae
Ieper tu hwnt i'r mapiau.

O gofadail!

Mae'r gwynt bob amser yn fain
wrth y gofeb hon;
ac mae na'd fi'n angof mis Mai
fel pabi mis Tachwedd
o hyd yn dewino dagrau tua'r llechen orlawn.

Ond llymach na'r degawdau a'r gaeafau
ydi'r ffordd y mae llanciau
â'u llafnau olwynog
yn gwneud eu triciau o gylch y groes hynafol;
eu hieuenctid yn llusgo, yn troelli
ac yn sglefrio dros ein doeau ni,
gan oddiweddyd ein galar ar sgêts.

Ac i mi, sydd yma o hyd yn mynnu cofio,
dyna'r rhwyg, hogia'.

Glaw

Cymru ac Iràc, 2003

Mae'n bwrw'n drwm un bore
ac mae'r stido'n llwydo'r lle,
pob cawod yn ddyrnodau
ar ein cefn, awyr yn cau.

Er i'r glaw'n gwlychu'n dawel,
a ni heb 'run ymbarél,
er i'r niwl ddiferu'n hallt,
diolch am iddi dywallt:

dan gymylau'r dagrau du'n
anialwch yr anelu,
mae 'na ragor na storom –
mae'u hawyr nhw'n bwrw bom.

Galwad

oes angen Diwygiad arall ar Gymru?

A'r gwifrau'n frau, ar lein fry,
Duw eilwaith sy'n deialu
ei alwad ffôn i wlad ffydd
a'r rhifau llwm eu crefydd;
deialu pob adeilad
dau neu dri'r adnodau rhad,
galw'i was ar linell glir
a nhw, 'r rhifau anghywir.

Ond yng nghapel y celwydd
wedi'r dôn, nid ydyw'r dydd
a'i negesau gwag, oesol
yn awr am ei ffonio'n ôl.

Ar y record

er cof am fy modryb, Carys Owen – ffan mawr o ganu gwlad
a fu farw Ebrill 2005

Pan ddaeth y Troellwr Disgiau ym mil naw pumdeg dau
i osod ar y drofa un darn o feinyl brau,
nid oedd ond ef, trwy'r byd yn lân,
a wyddai beth f'ai hyd y gân.

Ac wrth i'r nodwydd gylchu y dyddiau yn un rhych
gan naddu ar y record holl draciau oes yn wych,
fe ddaeth crafiadau'r nosau hir
i darfu ar y canu clir.

Pan ddaeth y Troellwr Disgiau eleni ar ei dro
i godi'r feinyl bregus i lwch ei siaced o
a rhoi hyn oll mewn arch o bren,
bryd hynny y daeth y gân i ben.

A ninnau ar y drofa, yn dal i droi'n y byd,
estynnwn am y record lle mae hi'n fyw o hyd;
y record o atgofion lle mae pob tiwn yn lân,
a'r nodau dewr yn cario mai Carys ydi'r gân.

Tŷ newydd

ar achlysur agor adeilad newydd Capel y Groes, Pen-y-groes, Ebrill 6, 2003. Fe ddaeth dwy o eglwysi Presbyteraidd y pentref – Bethel a Saron – at ei gilydd i ffurfio un achos.

Y mae'r gwanwyn mor gynnes,
a'n nef ni ganrif yn nes!
O Saron rhyw oes arall
y down â'n gobeithion dall,
ac o Fethel ddihelynt
i roi'r Gair i'r geiriau gynt;
i droi'r awr ar ei dir O,
a hi'n wanwyn ein huno.

Nid yw delw adeilad
yn dweud dim am gred y Tad,
a chaer ofer ei chrefydd
honno sydd heb ffeindio'i ffydd;
un oer yw, a'i geiriau'n rhad,
ac oerach yw heb gariad.

Ar y lôn a'r hewl unig,
yn anheddau'r dagrau dig
ac ym mhorth pob rhwygo mud,
yn ifanc a hen hefyd –
yno o hyd, mae 'na un
yn amau geiriau'r emyn.

Felly, cyn creu Afallon
yn nhir aur y fangre hon,
dod a wnawn gyda'n henaid
i ddrws y weddi o raid;
dod efo'n sêl, ni'r rhelyw,
a dod o hyd i dŷ Duw.

Y nawfed ton

Mae'r gynta' wedi 'mhasio,
a'r ail 'di torri'n lân,
a'r drydedd wedi chwalu
dros froc fy mywyd mân.

Daeth y bedwaredd wedyn
a phumed, gyda hyn,
cyn iddi, 'r chweched sbeitlyd,
boeri ei hewyn gwyn.

Roedd storm yn gyrru'r seithfed,
a'r wythfed oedd yn wych,
nes daeth y nawfed rymus
i olchi'r traeth yn sych.

Eilwaith, dechreuaf gyfri'
gan chwilio am frig y don,
a gwn y daw 'na nawfed
i foddi'r nawfed hon.

Gwên

Mae'r ddannodd o'i golli o
yn dal i bwnio heno
trwy enamel yr heulwen
a haen siwgr y geiriau clên;
mae'n pigo i fôn pob dant cry',
yn pydru gwraidd yfory.

Ond yna, clymaf edau
am ein gorffennol ni'n dau,
rhwygaf y drwg yn ei hyd
o'r wên ifori hyfryd
nes bod y boen yn pylu,
yn marw i fyw'n y bwlch du.

CERDD A CHREFFT

– Eisteddfod Genedlaethol Eryri a'r Cyffiniau 2005

Gwerin o hyd

'Arch', Dewi Glyn Jones

Dw i'n sbïo i fyny ar y Tŵr,
i fyny i awyr lwythog o las,
ac yn y fan honno,
drwy sbeinglas o gof
mi wela' i'r canrifoedd
yn friw agos ar falconi.

Hen hanes ein rhannu,
chwalu ein holl chwedlau
a dymchwel pob doe;

ond roedd hynny'n oes y taeogion,
cyn bod ein tywysogion
yn medru rhyw grap o Gymraeg.

Dw i'n sbïo i fyny arnyn nhw,
fel erioed,
ac mae gwylwyr newydd ar dyrau'r hengaer hon;

ac onid pwy – 'na,
chwaer i ddyn drws nesa',
sy'n byw ym Methesda
ydi honna'n fan'na
yn codi llaw dan y bwa
ac yn sbïo i lawr ar y byd,
yn Gwîn i gyd?

Trwy sbeinglas ei hantur
ar Dŵr yr Eryr –

o bob man –
oni wêl hithau
a'i chyd-Gymry di-elyn,
mor gaeth ydi ein chwarae o hyd?

Dyn

'Hogyn', Gareth Noel Williams

Mae celf yn gallu dweud y gwir.

Mewn oriel wen, wen
lle mae'r llygaid yn rheoli'r galon
sy'n rheoli'r pen,
mi fydd yna ddegau
o wthio darluniau
a dadansoddi delweddau
sydd, ar adegau,
yn ddim byd ond lol.

Ond, mi ddewch chi, dro arall,
at y gwirioneddau
sydd yn deillio o brofiadau
mor ddwfn; o'r synhwyrau
sy'n hŷn na theimladau.

Y rhain yw'r pethau sy'n aros
oherwydd,
ydi, mae pennau dynion wedi'u gwneud o wydr.

Dyna sut y gwela' i drwyddo fo
bob tro,
boi.

Methu codi

'Delwau bara', Alison Mercer

Weithiau,
pan mae'r ysbryd wedi'i bwnio, bwnio,
a phob uchelgais gorfforol
yn gwrthod codi yng ngwres y dydd;
bryd hynny y bydda' i'n mentro meddwl,
ac efallai, gredu,
trwy dylino rhyw ychydig ar y dychymyg,
fod yna fwy i'n bod na bara,
a bryd hynny y bydda' i'n gobeithio y bydd rhywbeth –
dim ond un peth –
o hyn oll yn para.

Ond wedyn,
mi fydda' i'n gofyn,
i be'?

Mae'r burum yn fflat
a phopty'r Becar yn oer ers blynyddoedd.

Mae gwynt yn fyr

'Anadlu', Alison Harris

Un da iawn, iawn *(anadliad)* ydi'r peiriant yma *(anadliad)*
am helpu rhywun *(anadliad)* i gael deud chydig eiria *(anadliad)*
mi ddaw fy holl ocsigen *(anadliad)* drwy y peipia *(anadliad)*
yn handi, welwch chi *(anadliad)* mewn eiliada *(anadliad)*
ac mi ddaw'r cemist 'cw *(anadliad)* â'r holl silindra *(anadliad)*
i'r tŷ'n ei gar *(anadliad)* mi ddaw bob bora *(anadliad)*
a danfon bywyd *(anadliad)* ata' i'n fama *(anadliad)*
mae anadlu i mi *(anadliad)* yn dibynnu ar hynna *(anadliad)*
ond be' gawn i'n well *(anadliad)* nag aros adra *(anadliad)*

a methu symud *(anadliad)* o'r gwely neu'r soffa *(anadliad)*
yn meddwl sut ydw i *(anadliad)* a gweddill yr hogia *(anadliad)*
ers oeddan ni'n ifanc *(anadliad)* yn nhwll Dorothea *(anadliad)*
yn hongian ar raff *(anadliad)* mor uffernol o dena *(anadliad)* . . .

Yn y ffrâm

'Lavabo inter innocentes manus meas',
Paul Lloyd

Ysgwydd wrth ysgwydd
yn ein byd gwyn, glân,
ac rwyt ti a fi mor ar wahân
â'r da-da caled
sy'n gwrthod toddi'n un ym mhoced côt;

ond nid peth felly ydi byw
yn oes yr un bag papur mawr
a'i lond o fferins;
a'r rheiny'n brathu pennau ei gilydd,
yn cnoi coesau,
yn rhwygo breichiau
cyn poeri ei gilydd allan yn enfys o eithafion.

Ers i mi ddechrau dy amau di
a thithau minnau,
mae yna,
yn y gwacter rhwng lliw a lliwiau
pan syrth ein tyrau
ac y ffrwydra'n trenau,
gefndir sydd, o hyd,
yn gelwydd o wyn.

O! fy ngwlad

'Clustog Victoria Cross', Lynda Shell

Wrth fynd i gysgu heno,
'rôl dweud un weddi wen,
bydd diolch fy mrenhines
yn glustog dan fy mhen.

Ond, pan ddaw hunllef wedyn,
a'r wawr ymhell o'r byd,
gorchymyn fy mrenhines
sy'n troi i'r ffos o hyd.

Gweini celf

'Llestri arian', Pamela Rawnsley

Mi ddaethon nhw i'r wledd yn arian i gyd –
fy llestri artistig, ofnadwy o ddrud;

mi ddalion nhw'r gwin ac fe gawson nhw eu gweld
ar achlysur eu gollwng o garchar y seld;

mi blygon i'r golau a sgleinio eu graen,
a'r gwesteion heb yfed celfyddyd o'r blaen.

Ond wedyn, wrth gadw fy llestri drud,
rhaid sgrwbio'r gwefusau sydd hyd-ddyn nhw i gyd.

Rhywbeth i'w gofio

'David T. Jones', Elen Delafouge Jones

Taid, pan oedd hi'n anodd
a finnau'n gorfod crio,
ni welwn ffydd dy eiriau di'n
fy hances wedi'i wnïo.

Taid, pan o'n i'n chwerthin
nes bod fy hwyl yn ddagrau,
ni welwn drwy fy llygaid llawn
dy ddweud yng ngwên y geiriau.

Ond Taid, pan fydd hi'n anodd
ail waith, a finnau'n crio,
dymunaf gael dy eiriau di,
fel nodwydd, yn fy mhigo.

Celf ydi bywyd

'Dirywiad Bethel, Penarth', Ivor Davies

Mae'r artist a saethodd, unwaith,
hollt enfawr yn nhudalennau'r Beibl
wedi dymchwel
Capel Bethel, Penarth.

"Be' nesa'?" meddai'r sylwebyddion
a'r papurau newyddion
mewn penawdau breision.

Ond does neb yn poeni fod artist a saethodd, unwaith,
hollt ddybyl-bôr yn nhudalennau'r Llyfr Mawr,
wedi dymchwel
Capel Bethel, Penarth.

"Ydych chi'n deall nawr 'te?" meddai'r artist,
"ac os nad ydych, dyna'r darlun mwyaf trist."

Cwmni

'Y ffigwr absennol', Daniel Allen

Ni welodd neb chdi neithiwr
yn dod i'm hachub i,
na gweld tu hwnt i gadair wag
y wên sydd rhyngom ni.

Ni chlywodd neb dy chwerthin
trwy ddoe'r distawrwydd hir
na chlywed, hwnt i gadair wag,
fy mod i'n dweud y gwir.

Ni theimlodd neb dy anadl
yng nghornel oer y llun,
na theimlo, hwnt i gadair wag,
na fydda' i byth fy hun.

Ai am eu bod nhw'n unig
y mae'u dagrau fel y glaw,
yn methu, hwnt i gadair wag,
â chofleidio'r ochr draw?

Gêm y garddwr

'Y Garddwr Swil 2', Peter Finnemore

Pan o'n i'n lleidr tymhorol ers talwm,
roedd yna ddillad pwrpasol
at ddwyn afalau –
pâr o esgidiau
melltennog o dawel eu gwadnau
a chôt wedi'i haddasu'n genetig,
yn lot, lot, rhy laes ei phocedi.

Ond heddiw,
yn y dyddiau wedi llosgi'r perllannau
a dwyn canghennau plentyndod
o'r coed afalau,
be' wnei dithau,
wedi aros yn ofer am fellt ein hesgidiau
ond dwyn dy ffrwythau di dy hun?

Oherwydd mae dy gynhaeaf
wastad wedi bod
yn ormod
i un.

Halen

Mae 'na halen mewn wylo, – y mae mwy
na llond môr ohono,
ond rhaid i ti ei grio
i allu dweud mor hallt yw o.

Cusan

Ar y Groglith rhagrithiol – hwn o hyd,
a ni'n ddim ond meidrol,
awn i ardd y weddi'n ôl
â dwy wefus y diafol.

Cysgod

Yn haul y pnawn, ni welaf – ei hyd ef
na'i dwyll, am na fynnaf;
ond yno'n cuddio, fe'i caf
yn yr hwyr ar ei hiraf.

Pan wyt yn hen ac unig . . .

Un chwythiad yw dathliadau – dy gant oed
ac un twyll o fflamau,
wrth i ddyn ei hun wanhau
yn nhywyllwch canhwyllau.

Beddargraff actores

Mynwent yw'r ddrama heno, – yn y bedd
heb act, caiff berfformio
hi'i hun yn y fan honno –
'does eisiau sgript is y gro.

Cenhedloedd Unedig

Ym mhader ola' Medi – a'n hawr ddu'n
un ar ddeg, a weli
ein holl wledydd newydd ni
yn wledydd heb fwledi?

Tswnami

I wyliau ein dyddiau daeth, – rhoi'i dywel
ar dywod bodolaeth,
iro olew marwolaeth,
a'i natur o'n hawlio'r traeth.

Dedwyddwch

ar ymweliad ag Ynys Gwales, Ebrill 2006

Rhwng Gwales a'r byd nesaf
mae 'na rai sy'n mwynhau'r haf,
yn dod i wrando adar
ar graig oer y geiriau gwâr
ac o fewn i'w hogofâu'n
dod i gael hud y golau.

Fe wylaf innau'n felan
a bwrw'r haul o dir Brân,
yn eigion Mabinogi
mae Heilyn fy neigryn i
i Wales yn dychwelyd,
at ddôr i'w hagor o hyd.

Colofnau

Mae'r inc bron iawn â sychu
ar glawr y papur bro
pan ddaw y stori olaf
i chwalu'i ddedlein o.

A daw'r Golygydd, yntau,
i altro'r ddalen flaen,
gan sgriblo'r geiriau addas
fel gwnaeth sawl tro o'r blaen.

'Yn hwyr, bu farw Cymro'
yw'r lein gyfarwydd, fras,
er nad oes neb yn sylwi
fod, yn y galar, ias.

A dyna pryd mae marw
un golofn fach o'r iaith
yn gadael mwy na gofod
yn stori'r frwydr faith.

Cau siop Gareth Bwtsiar

*i Gareth Williams, a fu'n cadw siop gig yn Heol Buddug,
Pen-y-groes, am 38 mlynedd. Ymddeolodd ar Ebrill 1, 2006.*

Mae bwtsiar clên eleni'n
ymddeol o'n Heol ni,
Gareth yw, a gwerth ei oes
yn pwyso'n ei siop eisoes;
Gareth y gylleth a'n gwên
(a'r un sy'n ŵr i Anwen),
y ffedog streipiog a'r hwyl
ddynol, y fo'r lladd annwyl;
Gareth sy'n ddarn o frethyn
hen le ar benrhyn ei Lŷn,
Gareth y cig rhagorach,
ein gwario byw, a'r gair bach.

Oerodd pob darn i'w ferwi!
Aeth ein iau a'n wyau ni!
Mins a ham, stêc a gamwn,
hanner cyw, esgyrn i'r cŵn!
Selsig, tyrcwn Dolig 'di'u dwyn!
Cig oen heb branc y gwanwyn!
Ac os hyn, ein lobsgows aeth
yn addurn bwydlysyddiaeth!

O adael y cig eidion
a rhoi'n ôl y glorian hon,
o gau'r drws, rhyw gr'adur oer
yw ein hoes o deils iasoer;
un rhewgell yw'r fro rhagor,
gigydd hoff, o gau y ddôr.
Oherwydd bwtsiar arall,
â llai o gonsýrn na'r llall,

ddaw â'r 'arch' nawr i'r farchnad
a rhoi'r arch yn ei gig rhad;
yr un a'n gwaeda, nes rhed
a newynu'n cymuned,
hogi arfau i gerfio
heibio i'w bris at fêr ein bro.

Heb fwtsiar clên eleni,
gwahanol yw'n Heol ni.

Gethin yn ei grud

fy nai yn dri mis oed, Ebrill 2006

Gwelaf fachgen, ond heno
nid un ei hun ydi o.
A weli di deulu'i dad
yn ei wg rhwng dau lygad?
Neu ai ei fam yw'r wên fach
yn how-rannu'i chyfrinach?

Dan aeliau neiniau'i hanes,
ei drwyn sy'n deidiau o res,
hen gefnder o oes fleriach
yw'r aer, mae'n gyfnither iach;
yn ei wrid mae chwaer, wedyn,
o'r tu hwnt, mae rhyw frawd hŷn,
a'r geg ddieiriau i gyd
ar wefus ewythr hefyd;
nai heb iaith ei fodryb yw,
a'r dweud sy'n barhad ydyw.

Ond, a Gethin 'run ffunud
â gwŷr ei ach, yn ei grud,
er rhoi o'i hil iddo'i ran,
heno mae'n ef ei hunan.